Lección

EnCuento

de piano

Texto: **FELIPE GARRIDO**
Ilustraciones: **MARIE FLUSIN**

D.R. © CIDCLI, SC

Av. México 145–601, Col. del Carmen

Coyoacán, C.P. 04100, México, D.F.

www.cidcli.com.mx

D.R. © Felipe Garrido (México)

Primera edición, noviembre, 2002

ISBN: 968-494-124-2

Ilustraciones: Marie Flusin (Francia)

Coordinación editorial: Rocío Miranda

Cuidado de la edición: Elisa Castellanos

Diseño gráfico: Rogelio Rangel

Reproducción fotográfica: Rafael Miranda

Impreso en México / *Printed in Mexico*

Todos los días, todos nosotros escuchamos y contamos cuentos. Al regresar de la escuela, siempre hay alguien que nos pregunta ¿cómo te fue?, ¿qué hiciste hoy? Y nosotros contamos historias sencillas con las cosas que pasan todos los días: que María no fue a clases; que se armó un gran alboroto en el patio porque se metió un perrito callejero; que la maestra estrenó un vestido precioso...

También podemos, sobre esas mismas historias, con nuestra imaginación, inventar otras más emocionantes, más chistosas, más complicadas. Podemos decir que María salió en un largo viaje hacia oriente, porque descubrió que tiene unos primos en Japón. Que una manada de lobos feroces atacó al maestro de deportes, quien tuvo que subirse a un árbol. Que la maestra se volvió rica porque encontró en su casa un cofre lleno de monedas de oro. Y podemos elaborar esas historias mucho más todavía. Los primos de María tienen un changuito amaestrado que puede ver el futuro. Fernando y Julián me ayudaron a capturar al lobo jefe. La maestra encontró el tesoro porque una viejecita se le apareció en sueños y le dijo dónde estaba enterrado. Todas las historias del mundo comienzan con sucesos ordinarios, de los que pasan a diario. Los escritores no inventan sus historias: se las encuentran en la calle, o en su casa, o en la escuela. Los escritores aprenden a descubrir historias allí donde otros creen que no está pasando nada. Así comencé a contar mis cuentos cuando era niño y así los sigo escribiendo ahora. Así los puedes contar y escribir también tú.

*Para Lucrecia y Ricardo Santibáñez,
amigos y patronos de la música.*

*Para Sonia, que ha puesto
música en mi vida.*

I

Un enamorado con experiencia

Ah, ¡el amor, el amor!

Nada es más dulce ni más amargo que el amor. Nada es más tierno ni más cruel. Nada es más alegre ni más triste. Nos pone en onda y nos trae botando.

Y tú, ¿te has enamorado? Pues yo también. Tantas veces que ya perdí la cuenta. Y te juro que no te estoy presumiendo.

Dice mi madrina que es por el día en que nací; porque soy Virgo. Y tú, ¿qué signo eres?

Me alegro. Mi madrina dice que es un signo de los buenos. Pero no dejes que me distraiga: no estamos platicando de tu signo. Te estoy contando que me he enamorado muchas veces. Y que tal vez sea por la influencia de las estrellas.

Aunque no puede ser sólo por eso. Porque, mira: tengo una amiga que es Piscis, y también ella se ha enamorado. Y unos primos que son Leo, Géminis, Tauro y Escorpión, y mis vecinas de abajo que son Libra las dos... y todas y todos andan enamorados a cada rato.

El amor es una enfermedad que nos ataca a todos. Apenas te descuidas ¡y ya estás otra vez enamorado!

Los signos del amor

No, no exagero. El amor es una enfermedad.

Uno reconoce a los enamorados por sus síntomas, como a los enfermos. Porque suspiran y están en la luna todo el tiempo; porque lo único que quieren es pasarse el día pensando en la chava o en el chavo que les gusta. Porque a todas horas están escribiendo poemas, o llenando páginas enteras con sus nombres, o mandándose recaditos.

Y ¿qué me dices de sus angustias? Se pasan la vida con las mismas preguntas: ¿Me quiere o no me quiere? ¿En quién estará pensando? ¿Por qué no me saluda? ¿Cuándo me va a hablar?

A ti, ¿qué te pasa cuando te enamoras? A mí se me van el hambre y el sueño. Se me olvida con quién estoy hablando y lo que tengo qué hacer.

Hoy en la mañana fui a mi recámara, a recoger un libro que había olvidado. Entro y veo mi cinturón, que no me había puesto. Dejo la mochila, me pongo el cinturón y salgo corriendo. Apenas salgo me doy cuenta de que me faltan el libro y la mochila. Regreso y abro la mochila para meter el libro. Como casi no cabe, saco el estuche de los lápices y se me olvida en la cama... Así vivo, otra vez enamorado.

II
La pasión de mi vida

Ya no me interrumpas. Déjame contarte. Porque ahora sí, ¿te das cuenta?, estoy bien, bien, bien enamorado. Como nunca. No la conoces. Estoy seguro, porque no es de esta escuela, ni vive por aquí. O tal vez la has visto, todo puede ser. Si la has visto tienes que recordarla, porque no hay nadie como ella.

No es muy alta. Si acaso como tu mamá, o como la mía, o más o menos. Pero tiene los cabellos cortos y revueltos, como una noche de tormenta, y la frente parece una luna y los ojos son un corto circuito y se ríe como revientan las olas y dan ganas de morderle el cuello y los hombros...

No te rías. No soy vampiro. Es que me dan ansias, porque no sé cómo decir lo hermosa que es. No sé cómo explicarte lo que siento cuando la veo caminar: se mueve como un duraznero lleno de flores que el aire meciera todo el tiempo, muy suavemente, de un lado a otro; o como una cebra que va a echar a correr.

Y sus manos son de hada, porque toca el piano mejor que nadie. ¿Cómo que no? Tú qué sabes, si ni la conoces. No sólo toca el piano, sino que ¡es maestra! ¡Es maestra de piano! ¡Es la mejor maestra de piano de la ciudad! Qué digo de la ciudad: ¡del mundo! Y yo quiero que me enseñe.

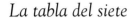

La tabla del siete

¿Cómo lo sé? Porque les da clases a unos vecinos. Cuando llego de la escuela, no sé qué tardes, ella sale de casa de *los norteños,* como les dicen mis hermanas. Eso es todo. Nunca la he saludado. No te burles. Mírala, fíjate, ésa es.

¿Cómo que quién? La de allá. La que va a subirse a ese Mustang 57. ¿No lo ves? Ése dos puertas, convertible, de ocho mil caballos de fuerza, motor de ocho en V con carburador de doble garganta y pistones... No me veas así. Mi papá vende carros y los sábados lo acompaño al lote. Ese coche amarillo, pues.

¿Que no es como te dije? ¿No ves su cabellera de tormenta ni el brillo de su frente ni te deslumbran sus ojos ni la ves caminar como una cebra salvaje, como un bosque de flores, como...? Ya está bien, ya entiendo, pobre de ti; lo que pasa es que tú no puedes verla con mis ojos. No, todavía no me está enseñando, pero ya le digo "mi maestra".

A mis papás se los dije el sábado, cuando estábamos cenando. Papá preguntó cuánto cuestan las clases. Mamá se acordó de que una vez ella tomó unas lecciones, en su pueblo, antes de que su familia se viniera a vivir acá. Mis hermanas dijeron que el mayor de *los norteños* es un burro; que no se sabe la tabla del siete.

Delirio

No ha sido fácil. Papá dice que si así como estoy, con el futbol y el inglés, mis calificaciones no son muy buenas, ¿qué va a pasar si me distraigo con el piano? ¿Tú crees?

Mis hermanas insisten en que *los norteños* son unos burros, pero dicen que el más chico tiene ojos bonitos. Yo se los veo igual que a todos.

Mi madrina dice que no me preocupe, que todo depende de la posición que tengan las estrellas. Que me espere a que Saturno esté alineado con la Luna, o algo así. No le entendí bien.

Mamá dice que va a hablar con Leticia, que así se llama la maestra, y que ya luego convence a mi papá. Yo le prometí todo: que voy a sacar nueve en español, que voy a darle grasa a mis zapatos, que voy a hacer todos los días una plana de divisiones, que voy a dejar mi ropa doblada.

Cada vez que oigo un piano pongo toda mi atención. En el radio voy recorriendo las estaciones hasta que encuentro algo, y me aprendo todo: los nombres de las piezas, de los pianistas, de los directores de orquesta; las marcas de los discos. En la cena, cierro los ojos y aporreo la mesa como si fuera un teclado, hasta que me dicen bravo, maestro y me dan un aplauso.

¡Victoria!

No abras la boca, no se te ocurra interrumpirme ni distraerme ni nada de nada. ¡Aceptó! ¡Dijo que sí!

Mamá me dijo que empiezo el martes que viene, al regresar de la escuela. Como en la casa no tenemos piano, la mamá de *los norteños* va a dejarme que tome las clases en casa de ellos. Por lo menos para empezar. Papá ya no me dice bravo, maestro, cuando toco en la mesa del comedor a la hora de la merienda. A ver si puedes, parece que me dice cuando alza la taza de café y me mira, de un lado a otro de la mesa.

En español ya tengo nueve, las divisiones las hago todos los días, nadie tiene que recordarme que les dé grasa a mis zapatos y cada noche, antes de acostarme, doblo el pantalón y la camisa y los dejo, muy ordenaditos, sin la más mínima arruga, en los pies de la cama.

Luego me acuesto, cierro los ojos y sueño con Leticia, mientras me voy quedando dormido. Sueño que la abrazo con todas mis fuerzas. Sueño que hay una horrible inundación o un terremoto o un asalto y que yo la salvo y nos quedamos solos. Sueño que la muerdo, que huele a yerbabuena. Sueño que no quiere estar con nadie más que conmigo.

III
Espera

No te lo puedes imaginar. No tienes idea. Por favor, no digas nada, no me preguntes nada hasta que acabe de contarte lo que pasó el martes.

En la escuela no di una. Pasé al pizarrón y no pude con ninguna de las divisiones. En español estuve leyendo en otra lección. La profesora me pidió que le ayudara a repartir los cuadernos y no entendí lo que me decía. Me quedé en el pupitre, mirándola a los ojos, como si me hablara en chino.

Pasé el recreo sentado en una banca, sin mover ni las cejas, viendo a mis compañeros que corrían detrás del balón. Unas niñas estaban saltando la cuerda y me cambié a otro sitio para que no me mancharan los zapatos. Estuve todo el tiempo buscando la sombra, para que el sol no me despeinara ni me hiciera sudar.

Lo único que quería era que fuera la hora de la salida. Pensaba sólo en Leticia, en sus manos y en sus ojos y en sus cabellos, siempre alborotados, como si acabara de correr. Dentro de la cabeza me repicaban las notas de un piano celestial. La veía en mi imaginación, caminando por delante de mí, como una cebra, como la llama de una fogata.

Final

No sabes cómo me brincaba el corazón de regreso de la escuela.

Cuadra y media antes de llegar, la vi salir de casa de *los norteños*. Llevaba sus libros y sus cuadernos abrazados contra el pecho. En la calle estaba el mustang amarillo. Leticia iba hacia el coche.

Pensé que se le había olvidado. Quería que volteara, que me viera, que me oyera, pero no supe qué gritarle. Atiné solamente a correr. Dejé caer la mochila, para ir más ligero.

Tuve que detenerme para cruzar la calle. Después corrí, desesperado. Ya no me importó sudar, ni despeinarme, ni mancharme los zapatos. Apreté los dientes y los puños. Corrí como nunca. La vi subirse al automóvil. Entonces sí grité, pero no para que me oyera; sólo de rabia, sólo de dolor.

Mamá me explicó que el novio de Leticia, el del mustang, no estuvo de acuerdo. Que no podía esperarla más tiempo.

Mis padres y mi maestra me buscaron otra maestra. No la quise. Mi madrina dice que todo es por causa de las estrellas. Yo no quiero ni verlas.

Aunque no lo creas, esta vez de veras me enamoré. Ya no soporto oír un piano. Jamás, jamás la podré olvidar.

Lección de piano
se acabó de imprimir
en el mes de noviembre de 2002
en los talleres de Gráficas Monte Albán, S.A. de C.V.,
Fracc. Agro Industrial La Cruz, Villa del Marqués,
Querétaro, Qro. El tiraje fue de 3,000 ejemplares.